le lapin

le té...

la montagne

Doudou

les lunettes de soleil

les bâtons

le chamois

les skis

le lait

l'église

les pommes de pin

la vache

Un personnage de Thierry Courtin

© 2006 pour la première édition.
© 2018 Éditions NATHAN, SEJER, pour la présente édition.
25 avenue Pierre de Coubertin, 75013 Paris
ISBN : 978-2-09-258132-2
Loi n°49-956 du 16 juillet 1949
sur les publications destinées à la jeunesse,
modifiée par la loi n°2011-525 du 17 mai 2011.

Achevé d'imprimer en juin 2019
par Lego, Vicence, Italie
N° d'éditeur : 10256612 - Dépôt légal : octobre 2018

T'choupi
à la neige

Illustrations de Thierry Courtin

Pour partir en vacances à la ,

montagne

il faut emporter un ,

bonnet

des et des vêtements chauds.

moufles

Il va faire froid là-haut !

En arrivant,  est émerveillé.

T'choupi

C'est la première fois qu'il voit

la tomber.

neige

, elle, voudrait bien la manger.

Fanni

Le village est très joli avec sa petite

église

au  enneigé. Et toute la famille

clocher

habite dans un beau  !

chalet

Dès le matin, T'choupi fait de la

luge

avec son papa. Il adore ça !

Maman met de la

crème solaire

et des petites  à Fanni

lunettes de soleil

pour qu'elle puisse rester dehors aussi.

Avec leurs  skis et leurs bâtons ,

les skieurs marchent lourdement

sur la neige .

Mais sur les pistes, ils glissent très vite !

Au miniclub des neiges, on apprend

à faire du ski. Il y a même un
téléski

pour les petits.

L'année prochaine, ira aussi :
T'choupi

 et lui ont promis !
papa   maman

L'après-midi, toute la famille se promène

en forêt, avec des aux pieds.
raquettes

Ils voient un dans la neige !
lapin

Comme sait à peine marcher,
Fanni

papa la porte sur son dos.

– Qu'il est beau ce ! s'exclame papa.

sapin

– C'est plutôt un , explique maman.

épicéa

Ses cônes pendent la tête en bas.

– Moi, j'appelle ça des ,

pommes de pin

dit T'choupi. Regardez, j'en ai trouvé plein !

Dans la forêt, il y a des
lapins

et des  .
chamois

Papa montre leurs traces

dans la neige. T'choupi remarque même

leurs petites crottes !

Après la promenade, maman achète

du bon  et du fromage au village.
lait

– Mais où sont les  ?
vaches

demande T'choupi au fermier.

– Elles sont à l'abri dans l'étable :

elles sortiront au printemps...

Comme c'est agréable d'être bien au chaud

après une journée dans la neige !

T'choupi fait un  pour mamie.

dessin

C'est une , bien sûr,

montagne

et au sommet, il y a !

T'choupi

Retrouve tout ce que T'choupi a vu ...

une montagne
la neige
une église
un clocher
un chalet
un bonnet
des moufles
une luge
des skis
des bâtons
un téléski
un chamois
un lapin
des traces
des crottes
des épicéas
des pommes de pin

Et dans la même collection ...